EL HOMBRE DE ACERO™

Los superpoderes de Superman

D1530821

LABERINTO

EDLA 30420

Título original: *Man of Steel: Superman's Superpowers*
Adaptación: Frank Whitman
Traducción: Sara Cano Fernández
Publicado bajo licencia por Ediciones del Laberinto, S. L., 2013
ISBN: 978-84-8483-730-5
Depósito Legal: M-14486-2013
Impreso en España
EDICIONES DEL LABERINTO, S. L.
www.edicioneslaberinto.es

Los superpoderes de Superman

Adaptado por Lucy Rosen
Ilustraciones de Andie Tong
Diseño de cubierta de Jeremy Roberts

INSPIRADO EN LA PELÍCULA EL HOMBRE DE ACERO
GUION DE DAVID S. GOYER
ARGUMENTO DE DAVID S. GOYER Y CHRISTOPHER NOLAN

SUPERMAN CREADO POR JERRY SIEGEL Y JOE SHUSTER

Jonathan y Martha Kent vivían
en una granja en Smallville, un
pueblecito de Kansas.

Tenían un hijo que se llamaba
Clark y un terrier que se llamaba
Shelby.

Los Kent eran una familia
muy unida.

Los Kent siempre habían
sabido que Clark era
distinto de los otros niños,
porque lo encontraron
en una nave espacial que
se había estrellado en su
maizal.

De bebé, Clark gritaba con tanta fuerza que era capaz de romper cristales.

Aquello complicaba las visitas al médico.

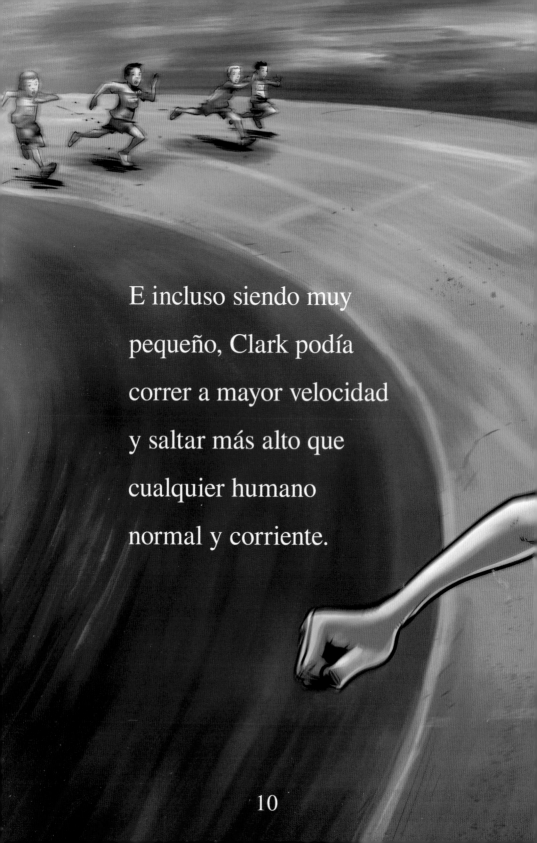

E incluso siendo muy pequeño, Clark podía correr a mayor velocidad y saltar más alto que cualquier humano normal y corriente.

Un día, estando en la granja, Clark

cerró los ojos un segundo.

Cuando los volvió a abrir, no podía

creer lo que estaba viendo: en lugar

de animales… ¡Clark vio que estaba

rodeado de esqueletos!

¡Había desarrollado visión de

rayos X!

«¿Qué está pasando?», se preguntó, y empezó a asustarse.

Clark corrió a esconderse en el granero.

Le empezaron a escocer y a doler los ojos.

De repente, de sus ojos surgieron dos rayos rojos que prendieron fuego a una bala de heno.

Esa misma noche, Clark le dijo a
sus padres que tenía miedo de sus
superpoderes.

«Tienes elección», le dijo su padre.
«Puedes tratar de ocultar quién eres en
realidad o puedes usar tus poderes para
ayudar a otros. Elige quién quieres ser,
porque esa persona puede cambiar el
mundo, para bien o para mal».

Clark lo pensó mucho y, finalmente,
tomó una decisión: quería
ser normal, nunca usaría sus
superpoderes.

Esa misma tarde, a Jonathan se
le descontroló el tractor y Shelby,
la mascota de la familia, estaba
justo en la trayectoria del vehículo
descontrolado.

Clark usó su súper-velocidad

y corrió a rescatarlo.

Cogió a Shelby en brazos y

lo puso a salvo.

Luego Clark volvió al tractor.

Con su súper-fuerza,

lo levantó.

¡Todo el mundo estaba

a salvo! ¡Clark lo había

conseguido!

Clark sabía que la decisión
que había tomado no era la
correcta.

No podía evitar ser quien era.

Cuando creció y fue adulto,
viajó por todo el mundo
ayudando a la gente en
apuros.

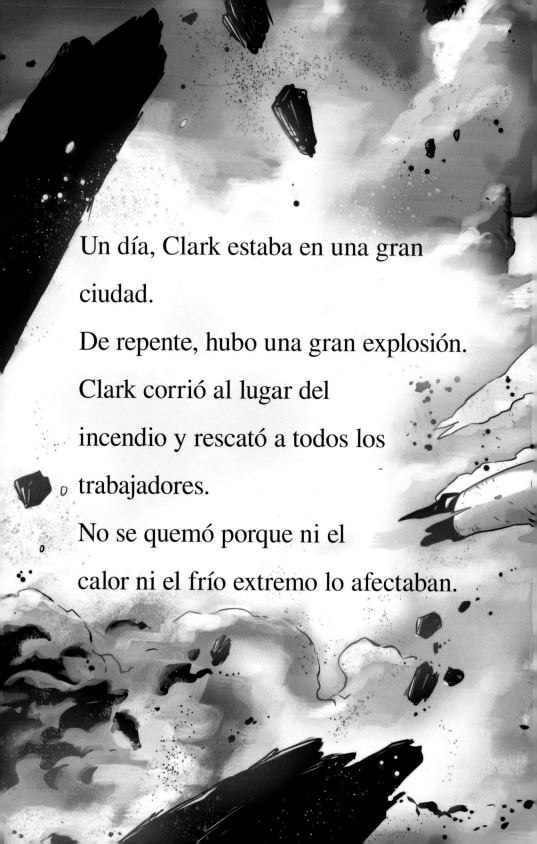

Un día, Clark estaba en una gran

ciudad.

De repente, hubo una gran explosión.

Clark corrió al lugar del

incendio y rescató a todos los

trabajadores.

No se quemó porque ni el

calor ni el frío extremo lo afectaban.

Los periódicos escribían historias sobre aquel héroe misterioso.

Uno incluso le dio un nombre nuevo: Superman.

Ahora era un símbolo de esperanza.

Clark aceptó aquel papel y se creó un traje a juego que fuera con el nombre.

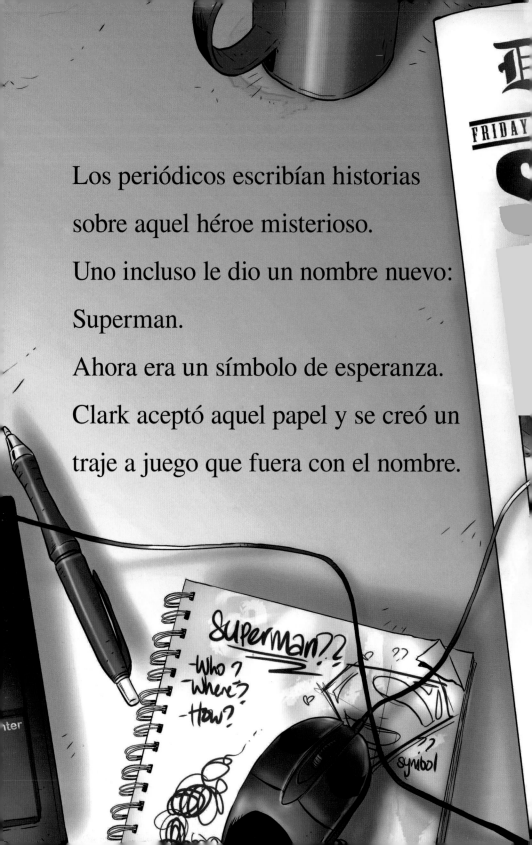

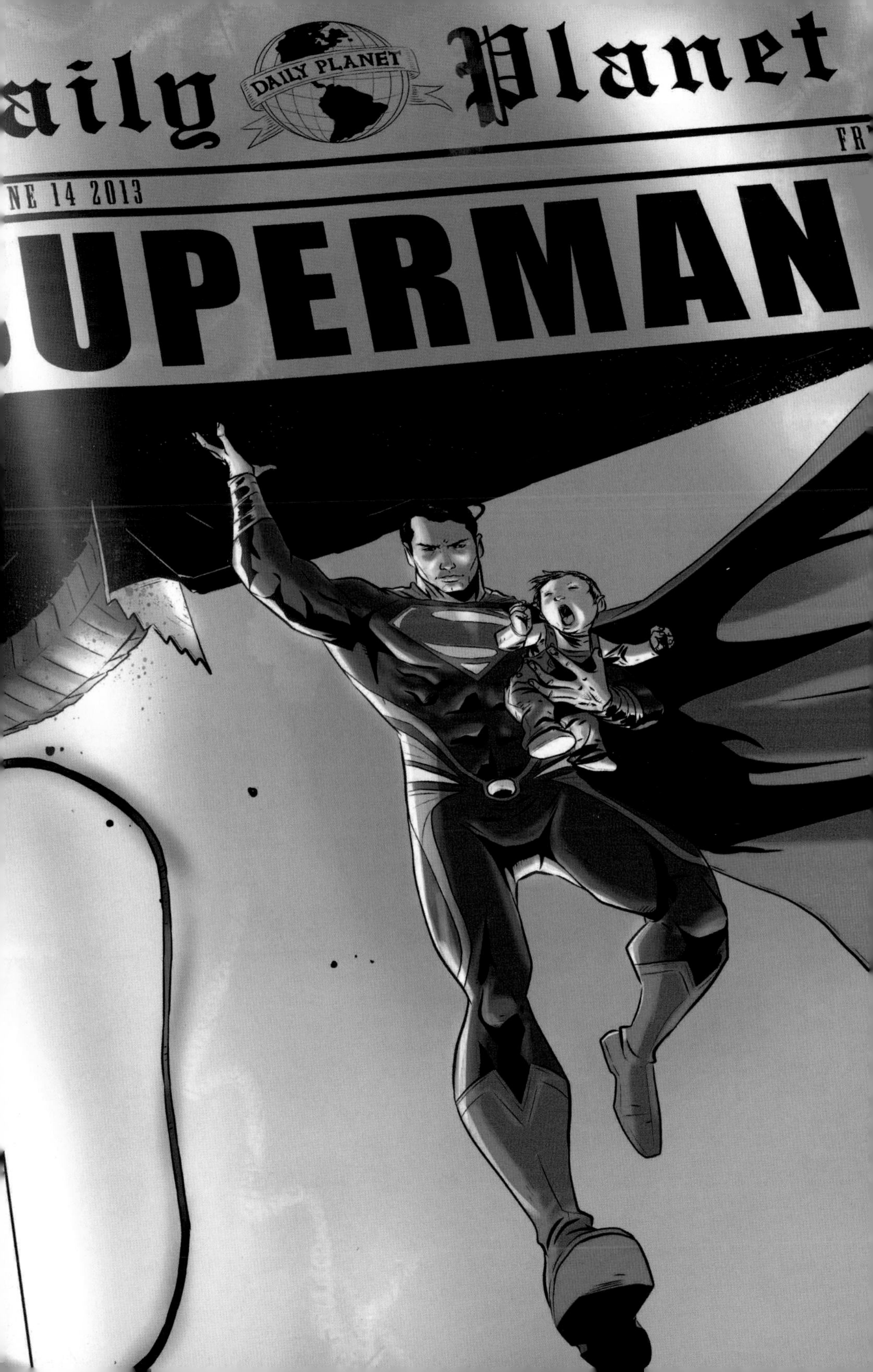
aily Planet
DAILY PLANET
FR
NE 14 2013
UPERMAN

Ahora Clark está orgulloso de sus poderes y los usa para mantener el mundo a salvo.

Es Superman… ¡el Hombre de Acero!

EL HOMBRE DE ACERO™

LABERINTO

EL HOMBRE DE ACERO™

LOS LIBROS DE LA PELÍCULA

ISBN: 978-84-8483-732-9

ISBN: 978-84-8483-728-2

ISBN: 978-84-8483-733-6

ISBN: 978-84-8483-731-2

ISBN: 978-84-8483-729-9